H. H. Isenbart et P.

Cochonnets, poulains, chevreaux et Cie
Les tout jeunes animaux à la campagne

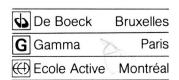

De Boeck		Bruxelles
G Gamma		Paris
Ecole Active		Montréal

Illustrations : Ruth Rau
page 10 (haut) et 27 : Jacana
(Veiller und Varin-Visage)
page 26 : Othmar Baumli
page 35 : Bio-Info
Texte Hans-Heinrich Isenbart

LEXIQUE

Acéré (adj.) : dur, tranchant et pointu.

Aride (adj.) : sec, desséché, désert ; qui ne porte aucun végétal faute d'humidité.

Duvet (le) : petites plumes très légères poussant les premières sur le corps des oisillons ; se trouve également sur le ventre et le dessous des ailes chez les oiseaux adultes.

Gîte (le) : lieu où s'abrite le gibier et spécialement le lièvre ; abri, maison.

Instinct (l'-masc.) : tendance innée, naturelle à se comporter ou à réagir de telle ou telle manière.

Intempéries (les-fém.) : rigueurs du climat (pluie, vent...).

Intrus (adj.-nom) : personne qui s'introduit quelque part sans y être invitée, ni désirée.

Jabot (le) : poche formée par une dilatation de l'œsophage de certains animaux et dans laquelle séjournent les aliments avant de passer dans l'estomac.

Mammifère (le) : animal vertébré, à quatre membres, au corps souvent couvert de poils, dont les petits viennent vivants au monde et sont allaités par la mère.

Métamorphose (la) : transformation très importante de certains animaux, surtout les insectes, au cours de leur développement vers la forme adulte ; changement d'aspect si considérable que la personne ou la chose qui en est l'objet n'est plus reconnaissable.

Omnivore (adj.) : qui mange de tout, qui se nourrit indifféremment d'aliments d'origine végétale ou animale.

Palmipède (le) : dont les pieds sont palmés (ex. canard, oie, mouette...).

Parasite (le) : organisme animal ou végétal qui vit aux dépens d'un autre et lui porte préjudice.

Progéniture (la) : famille, enfants, petits.

Réflexe (le) : réaction automatique et involontaire d'un organisme vivant à une excitation ; toute réaction prompte à une situation nouvelle.

Rétracter : rentrer, retirer. **Rétractile :** qui a la faculté de se retirer.

Ruminant (le) : animal qui rumine. **Les ruminants :** groupe de mammifères dont l'estomac permet aux aliments de remonter dans la bouche.

Terrier (le) : trou dans la terre où se cachent et vivent certains animaux.

Végétarien (adj.) : qui exclut toute viande de son alimentation, mais permet certains produits du règne animal (œufs, beurre...).

© Kinderbuchverlag Reich Luzern AG., 1981
Titre original : Ferkel, Fohlen, Kitz und Co.
Tierkinder auf dem Lande
ISBN 3-276-00005-9

© Éditions A. De Boeck, Bruxelles, 1984
D 1984/0066/12
ISBN 2-8037-0405-6

Exclusivité en France :
Éditions Gamma
77, rue de Vaugirard
75006 PARIS
ISBN 2-7130-0616-3
Dépôt légal : D 1984/0195/27

Exclusivité au Canada :
Les Éditions École Active
2244, rue Rouen
Montréal H2K 1L5
Dépôts légaux :
1er trimestre 1984
Bibliothèque nationale du Québec
Bibliothèque nationale du Canada
ISBN 2-89069-090-3

Imprimé en Belgique

As-tu déjà eu l'occasion de voir beaucoup de très jeunes animaux vivant dans une ferme, à la campagne ou en pleine nature ?

Ce livre t'en fera découvrir quelques-uns. En le relisant souvent, tu arriveras à mieux connaître le monde fascinant des animaux. Demande à tes parents de te conduire dans une ferme, par exemple.
Peut-être verras-tu d'autres espèces qui ne sont pas reprises ici. Le monde est si vaste et si passionnant à découvrir ! Il est habité par une multitude d'êtres vivants qui méritent notre intérêt et notre attachement !

Nous avons photographié des animaux quand ils étaient tout petits : des poulains, des veaux, des gorets, des chevreaux, des poussins et des chiots. Ces noms ne te sont, sans doute, pas tous familiers mais tu t'y retrouveras vite !
Les jeunes portent souvent un nom différent de celui des adultes.

A la fin du livre, tu trouveras un petit aide-mémoire où tu pourras trouver rapidement les renseignements qui te font défaut.

Si tu veux observer les animaux à la campagne, rappelle-toi, avant tout, qu'ils sont craintifs et farouches. C'est la nature qui les a dotés de ce réflexe instinctif de méfiance et de défense afin de les protéger contre leurs éventuels ennemis. Tu dois donc apprendre à t'approcher d'eux sans les effrayer. Voici, à cet effet, quelques consignes à respecter.
Ne cours pas, ne saute pas et ne crie pas ! Reste calme et ne t'avance pas d'un air menaçant comme si tu allais attaquer ! Ne caresse pas tout de suite les jeunes, même s'ils paraissent mignons et inoffensifs. Attends patiemment qu'ils n'aient plus peur de ta présence et que, comme leurs parents, ils soient mis en confiance et deviennent presque curieux de faire ta connaissance... Tu dois toujours te montrer très prudent quand la mère ou le père est auprès des jeunes. Les animaux adultes aiment et protègent leurs petits tout comme les parents le font pour leurs enfants.
Ils ne peuvent savoir si tes intentions sont bonnes ou mauvaises ! Leur instinct les pousse donc à être agressifs dès que la moindre menace se manifeste à l'encontre de leur progéniture. La chienne la plus placide peut mordre soudainement, la chatte la plus douce griffer sans ménagement et la jument la plus calme ruer avec force... si on s'approche un peu trop près de leurs jeunes.

Les animaux domestiques que tu rencontres maintenant dans les fermes étaient sauvages, à l'origine. Ils vivaient en liberté mais toujours sur le qui-vive, prêts à fuir le moindre danger ou le moindre ennemi. De ce passé lointain, ils ont gardé le réflexe de s'enfuir dès qu'ils entendent un bruit inhabituel ou pressentent une menace. Quand les jeunes sont encore trop faibles pour fuir, la mère est bien obligée de tout mettre en œuvre pour les défendre. Si elle attaque, c'est qu'elle obéit à son instinct qui lui dicte de se méfier d'une présence étrangère risquant de mettre en péril la sécurité de sa petite famille. D'une espèce animale à l'autre, les risques encourus par les curieux ne seront pas les mêmes : une lapine, par exemple, ne pourra causer un bien grand mal, mais une oie ou un cygne pourront te blesser sérieusement si tu t'approches trop du nid. Les chiens possèdent des crocs redoutables et les chats, des griffes acérées !

Sois donc toujours prudent devant toute nichée...

Si tu aimes les animaux, tu auras sûrement à cœur de les respecter et de ne pas les effrayer inutilement. De cette manière, ils t'adopteront d'ailleurs beaucoup plus facilement et votre confiance mutuelle t'apportera bien des joies !

L'amitié entre les hommes et les animaux est merveilleuse. Nous serions heureux que ce livre t'en montre le chemin...

Les poulains qui gambadent dans les prairies offrent l'image de la joie de vivre. Très vite après sa naissance, le poulain se tient debout et, quelques jours plus tard, il parvient déjà à réaliser des cabrioles sous l'œil vigilant de sa mère, la jument.

Les hommes n'élèvent plus guère aujourd'hui que des chevaux de manège. Pour les travaux des champs ou pour la traction de lourdes charges, le cheval a été remplacé par le tracteur!

Les jeunes chevaux jouissent d'une vie insouciante durant deux ou trois ans; il leur faut s'habituer ensuite à la selle et... au cavalier!

Comme les chevaux, les ânes se retrouvent dans le monde entier. Ils sont étroitement apparentés aux chevaux tout en étant plus petits. Ils sont doux et courageux et peuvent porter des charges importantes. Ainsi les voit-on souvent tirer des charrettes et porter de gros paniers. Tu en rencontreras surtout en Orient, en Afrique du Nord et en Europe méridionale.

Il arrive qu'un ânon à la fourrure grise trotte en liberté à côté de sa mère lourdement chargée. Les jeunes ânes grandissent ainsi dans le monde du travail qui sera bientôt le leur... Mais l'ânon de notre photo est encore trop petit. Il doit apprendre à se tenir debout sur ses pattes encore frêles. Ce n'est pas si facile. De temps en temps, il se repose un peu avant que sa

mère, d'un coup de museau affectueux, ne l'oblige à se relever.

Pour rendre justice à ce fidèle serviteur de l'homme, sache que les histoires « d'âne têtu » sont de pures inventions ! Ils ne sont d'ailleurs pas plus têtus qu'ils ne sont bêtes ! Les ânons sont très alertes, ils apprennent et comprennent très vite ; de plus ce sont d'excellents compagnons de jeu.

Pour qu'un petit veau vienne au monde, il faut attendre quarante semaines, donc, un peu plus longtemps que pour un bébé. Tandis que nos bébés naissent sans pouvoir se tenir debout, le petit veau, lui, se lève déjà après quelques heures et fait ses premiers pas dans l'étable ou dans la prairie.

Il arrive qu'un veau n'ait pas le privilège — pourtant bien naturel — de téter le lait maternel, comme le fait celui de la photo de droite. En effet, pour savoir exactement la quantité qu'il boit chaque jour, on lui verse le lait dans un bol ! Et ainsi, comme il ne cherche plus le pis de sa mère, on peut l'en séparer très tôt !

Les veaux que tu vois ici, en prairie, avec leur mère, sont donc des privilégiés !

Voici une truie dans la paille propre avec ses petits cochonnets roses. Peux-tu les compter? Il y en a neuf. On dit souvent que les cochons sont sales... S'ils le sont, c'est sans doute dû à la négligence de leur maître, car les cochons se sentent beaucoup mieux dans une étable nette!

«Mais si les cochons adorent se vautrer dans la boue, c'est qu'ils aiment cela!» me diras-tu. Eh! bien, non. Le cochon se roule dans la vase pour se nettoyer comme tu le comprendras ci-dessous.
Il se couvre entièrement de boue et la laisse sécher. Il cherche, ensuite, un arbre,

une clôture ou une grille pour s'y frotter. La croûte de boue, qui s'est chargée des poux, puces et autre vermine, tombe petit à petit jusqu'à ce que le cochon soit propre. Il se trouve ainsi débarrassé de ses parasites !

Si tu observes de jeunes cochons pendant leurs jeux, tu verras que, déjà très jeunes, ils savent ce qu'ils veulent et se défendent énergiquement contre leurs frères et sœurs, en les bousculant, en grognant et en criant à qui mieux mieux...

Dans les maigres pâturages, dans les régions arides où la pluie tombe rarement et où il ne pousse pas assez de verdure pour les vaches, on élève des chèvres qui, elles, se contentent de peu. Aussi, pour bien des gens, la chèvre est-elle l'animal domestique par excellence. On se nourrit de son lait avec lequel on peut faire également du bon fromage. Sa fourrure sert à confectionner des couvertures et des vestes.

Les chevreaux ont de véritables voix d'enfants. On dirait qu'ils pleurent quand ils crient « meh-eh-eh-eh ! »

Le mouton fournit la laine dont on fait des chaussettes, des gants, des tricots... Sa viande et son lait sont fort appréciés! Les moutons ont soit une épaisse toison bouclée, soit de longs poils doux. Ils paissent souvent en grands troupeaux, surveillés par un berger et son chien. Deux fois par an, le berger tond ses moutons, puis il file la laine ainsi obtenue. Il reconnaît ses bêtes à leurs bêlements: le « beuh-euh-euh » grave vient du bélier, une voix quelque peu enrouée vient des brebris et les « beeeh » aigus et languissants viennent des agneaux.

C'est à Pâques que les premiers agneaux, encore maladroits mais si mignons, exécutent leurs cabrioles sur l'herbe fraîche. L'agneau est symbole de paix, de douceur et de soumission. Les béliers, quant à eux, peuvent se montrer de féroces adversaires ! Ils combattent en donnant de la tête et des cornes mais, en général, ils ne se blessent pas.

Comment aurions-nous le plaisir de déguster un œuf sur le plat ou une omelette si la poule n'en était à l'origine ?!

Chaque fois qu'elle a pondu, elle l'annonce avec un joyeux « cot-cot-cot ». Une grande partie des œufs est destinée à l'alimentation mais lorsqu'ils ont été fécondés par un coq, la poule les couve. Elle élèvera une belle couvée de charmants petits poussins ! Les hommes, par souci du rendement, enferment souvent les poules dans des cages très étroites où elles ne peuvent même pas se retourner. Une seule tâche leur est demandée : pondre, toujours pondre ! C'est bien cruel, n'est-ce pas, car une poule aime flâner librement dans une grande cour et picorer de quoi se nourrir dans la nature qui l'entoure.

Les canetons, à peine sortis de l'œuf, se tiennent solidement sur leurs pattes palmées. Le jour même, la cane les emmène en promenade sur l'eau. Sans hésiter, ils se jettent dans la mare... et nagent sans aucune difficulté. Pour le premier jour de leur vie, ce n'est pas mal !

Les canetons ont tous la même petite voix claironnante. Plus tard, on pourra distinguer le mâle de la femelle grâce à leur cri.

Tandis que le mâle fait entendre un doux « coua-coua », la femelle, surtout vers la fin de l'hiver, à l'époque des noces, s'annonce par une voix claire : « nat-nat-nat » qui porte loin. Ce sont les canards et les oies qui donnent le doux duvet de nos édredons et de nos oreillers.

Les oies sont de gros oiseaux lourds. Nos oies domestiques sont blanches tandis que les oies sauvages sont de couleurs différentes selon les espèces. L'oie cendrée se rencontre dans nos pays mais au début de l'hiver, elle s'envole à des milliers de kilomètres pour gagner des régions au climat plus clément. Les oisons, tout comme les canetons, sont des « nidifuges » : cela signifie que, dès leur naissance, ils quittent le nid et peuvent nager et marcher. Les oies adultes ont une voix très forte qui fait penser à des trompettes ! On dit qu'elles cacardent. Ce sont d'ailleurs d'excellentes gardiennes. Le fermier qui possède des oies dans sa cour peut être rassuré : un étranger sera bruyamment annoncé !

Les cygnes à tubercule doivent leur nom à la bosse noire qu'ils portent sur le bec. Les petits cygnes sont recouverts d'un duvet gris qui, après quelques mois, vire au brun grisâtre. Ce n'est qu'à l'âge de quatre ans qu'ils auront leur plumage blanc comme neige. Le cygne mâle s'occupe tendrement de sa famille. Il monte la garde près du nid, remplace souvent la femelle pour couver les œufs et plus tard défendra les jeunes contre tout intrus. Les cygnes ont une force insoupçonnée dans leurs ailes. Un seul coup de celles-ci peut être fort dangereux, tant pour l'homme que pour l'animal.

La dinde est originaire des forêts américaines. Elle fut introduite en Europe il y a quatre siècles. Quand les dindes ou les dindons se fâchent, ils caquettent très fort, leur tête et leur cou virent au rouge vif. La dinde ne vole guère. Elle se sert de ses grosses pattes musclées pour se déplacer par terre comme le petit dindonneau de la photo ci-dessous, qui a environ dix jours.

Cette dinde (photo de droite) accueille momentanément quelques petits invités, des poussins reconnaissables à leur petite crête !

Ces beaux petits chiots ont environ deux semaines. Or ils ont déjà les yeux ouverts ! Les chiens, en effet, naissent aveugles et n'ouvrent les yeux qu'après dix jours. A la naissance, ils sont très faibles et très dépendants ; c'est la mère qui doit les réchauffer, les nourrir et les soigner. C'est pourquoi on dit que les chiots sont « nidicoles ».

Quand ils se blottissent contre le flanc maternel et peuvent boire le lait de leur mère, ils se sentent parfaitement heureux ! Comme ils sont trop petits pour se défendre, leur mère veille constamment sur eux et, si nécessaire, les défend courageusement.

Voici un chaton au moment de sa naissance. Il est encore aveugle et dépourvu de poils. Mais en deux ou trois semaines, il deviendra un adorable petit chat turbulent et espiègle. Aucune cordelière, aucun pompon ou rideau ne lui résistera ! Les chats — même les chats domestiques les plus doux — sont carnivores et font la chasse dès leur plus jeune âge. Plus tard, ils attraperont des souris et de temps en temps, essayeront de surprendre un oiseau.

Ils peuvent rétracter leurs griffes, marcher sans bruit sur leurs coussinets et s'approcher ainsi de leur victime, sans éveiller son attention.

Voici la famille lapin, bien installée dans la chaude étable située derrière la maison. Sur la photo de droite, un lapereau, les oreilles déjà dressées pour mieux entendre, nous jette un regard plein de curiosité. A la naissance, le lapereau est nu et a les yeux fermés. Il en est de même pour son cousin, le « lapin de garenne ». Ce dernier vit dans les terriers où les jeunes sont bien à l'abri. Par contre, les petits lièvres naissent en plein champ, dans un gîte. Ils doivent être capables de fuir immédiatement au moindre danger et c'est la raison pour laquelle les levrauts naissent les yeux bien ouverts et le corps recouvert d'une bonne fourrure qui les protège des intempéries.

Un gazouillis clair et joyeux nous apprend le retour de l'hirondelle, la messagère du printemps. Elle construit son nid sous les corniches, contre les façades, dans les étables ou dans les sapins qui entourent les habitations. Acrobates aériennes, les hirondelles happent, en plein vol, des insectes qu'elles rapportent à leur progéniture, toujours affamée.

On dit que les nids d'hirondelles portent bonheur et... protègent gens et maisons contre la foudre!

Ce pigeon a l'air bien pacifique... pourtant, les pigeons sont souvent jaloux et intolérants.

Mais dans le nid que nous avons photographié, le calme règne.

Mâle et femelle se relayent pour couver les œufs et ils nourriront bientôt leurs petits, tour à tour.

En général, le nid abrite deux œufs qui éclosent après plus ou moins dix-sept jours.

AIDE-MEMOIRE

Les animaux dont tu as pu admirer les photos dans ce livre peuvent être répartis en deux grands groupes : les « nidifuges » et les « nidicoles ».

Les « NIDIFUGES » viennent au monde suffisamment développés pour pouvoir se déplacer seuls et chercher leur nourriture, dès le tout premier jour de leur vie. Ils possèdent déjà un duvet ou une fourrure qui les protège efficacement contre le froid.
Voici quelques animaux « nidifuges » : *parmi les mammifères,* tu trouveras le cheval, l'âne, le veau, le porc, la chèvre et le mouton ; *parmi les oiseaux,* tu trouveras la poule, le canard, l'oie, le cygne et la dinde.

Les « NIDICOLES » sont, quant à eux, encore si faibles à la naissance, que la chaleur et les soins attentifs de leurs parents leur sont indispensables pour subsister. Ils naissent presque tout nus et aveugles et ne peuvent se déplacer.
Le groupe des « nidicoles » comprend : *parmi les mammifères :* le chien, le chat et le lapin ; *parmi les oiseaux :* l'hirondelle et le pigeon.

Il existe, bien sûr, quantité d'autres animaux qui appartiennent à l'un ou l'autre groupe, mais nous n'avons repris, ici, que ceux dont tu peux voir les photos dans ce livre.

1. « NIDIFUGES »

LE CHEVAL

Mâle : l'étalon
le hongre (s'il est châtré, c'est-à-dire rendu stérile et incapable de procréer)
Femelle : la jument
la pouliche (jument qui n'est pas encore adulte mais qui n'est plus un poulain)
Jeune : le poulain

Après une grossesse d'environ onze mois, la jument met au monde un poulain (rarement deux) qui, moins d'une heure après sa naissance, peut se tenir debout et suivre sa mère. On dit alors que la jument a mis bas ou pouliné.
Pour assumer le travail des champs ou pour tirer de lourdes charges, on choisissait, autrefois, des chevaux paisibles et très calmes. Les chevaux qu'on voit aujourd'hui dans les prairies sont presque toujours des « demi-sang » ou des poneys qui sont destinés à être montés par l'homme. Les « pur-sang » ne se trouvent que dans les champs de course et, quelquefois, dans les manèges.

LE BŒUF

Mâle : le taureau
le bœuf (châtré)
Femelle : la vache
la génisse (quand elle n'a pas encore vêlé pour la première fois).
Jeune : le veau
En regardant les cornes d'une vache, tu peux voir combien de veaux elle a déjà eus : à chaque naissance, en effet, un anneau se forme autour des cornes. On dit de la vache qui met bas, qu'elle « vêle ». La grossesse dure quarante semaines. La mère a un ou deux veaux qui peuvent tout de suite se tenir debout. La vache est végétarienne. Elle fait partie de la famille des ruminants, groupe de mammifères remâchant les aliments ramenés de l'estomac dans la bouche avant de les avaler définitivement. Une bonne vache donne environ 4 000 litres de lait par an !

LE PORC

Mâle : le verrat
Femelle : la truie
Jeune : le goret, le cochonnet, le porcelet

La truie porte ses petits durant seize semaines avant de mettre bas dix à douze cochonnets. Les cochons sont omnivores, c'est-à-dire qu'ils mangent de tout. Ils ont de larges oreilles pendantes qui recouvrent de petits yeux. Leur odorat est très bien développé et les aide à trouver facilement leur nourriture.

LA CHEVRE

Mâle : le bouc
Femelle : la chèvre
Jeune : le chevreau

Les chèvres appartiennent aussi au groupe des ruminants. Elles ne sont guère exigeantes pour la nourriture. Elles sont vives, intelligentes mais... très têtues ! Les boucs possèdent une petite barbiche.
De nombreuses espèces de chèvres ont des appendices de peau sous le cou : ce sont les « fanons ».
Il existe des chèvres avec ou sans cornes.
La femelle met bas un ou deux chevreaux, après une portée de 22 semaines.

LE MOUTON

Mâle : le bélier
le mouton (châtré)
Femelle : la brebis
Jeune : l'agneau

Après une portée de 22 semaines, la brebis met bas un ou deux (rarement trois) agneaux qui se mettent d'emblée à téter leur mère. Celle-ci possède un pis à deux mamelles.
Comme pour la chèvre, il existe des races de moutons avec ou sans cornes. Les moutons sont très soumis et obéissent facilement au berger et à ses chiens. Sans doute connais-tu l'expression « être doux comme un agneau ». Leur épaisse toison peut être tondue deux fois par an.

LA POULE

Mâle : le coq
Femelle : la poule
Jeune : le poussin

La poule pond et couve de 10 à 12 œufs et les poussins sortent de leur coquille après 22 jours. Les poules qui couvent ou soignent leurs poussins sont appelées « poules couveuses ».
Ce sont des oiseaux qui ne volent guère. Face à un danger, les poules s'encourent en caquetant et ne s'envolent que si elles y sont vraiment obligées.
Si on ne laisse pas couver les poules et qu'on leur enlève les œufs